Es war einmal vor gar nicht allzu langer Zeit,
da lebte in irgendeinem Dorf, in irgendeinem Land
ein Mann namens Faust.

Faust war ein schrecklicher Faulpelz und stets voller Hochmut. Er half weder bei den Aufgaben im Haus noch verrichtete er die Arbeit auf dem Feld. Tagein, tagaus beschäftigte er sich lediglich damit, gestohlene Bücher zu lesen. Und so trug es sich zu, dass eines Tages der Teufel sein Augenmerk auf ihn richtete.

»Herr! Oh Herr! Lass mich dir deine Wünsche erfüllen!«

»Als wäre so etwas möglich. Sicherlich muss ich dafür etwas Unaussprechliches für dich tun?«

»Aber nicht doch. Mir genügt es vollkommen, wenn ich nach deinem Tod deine Seele bekomme. Wenn du mir dies versprichst, werde ich Zeit deines Lebens dein Diener sein.«

»Dann stimme ich zu. Schließlich ist es erst nach meinem Tod.«

Faust nickte und fortan war der Teufel sein Diener.

»Aus all meinen Büchern habe ich viel Wissen erlangt. Ich möchte nun sehen, ob all das wahr ist.«

Und so verließ Faust das kleine Dorf und brachte gemeinsam mit dem Teufel allerlei Dinge zuwege.

Einmal verspeiste er einen Drachen, der seelenruhig auf einem Hügel geschlafen hatte, weil er probieren wollte, wie dieser wohl schmecken würde. Das gesamte Dorf am Fuße des Hügels wurde nach dem Verschwinden des friedlichen Drachen von Wölfen verschlungen. Ein andermal raubte er ein Kind, sprang mit ihm von einem Turm und verschwand. Die Mutter klagte laut und die Bürger der Stadt waren bestürzt. Bis heute weiß niemand, was aus dem Kind wurde. Und wieder ein anderes Mal wollte er zahlreiche Bücher in seine Obhut bringen und steckte daher eine bedeutende Kirche in Brand. Heute weist nichts mehr auf die Existenz der Kirche und all der Bücher hin.

So gingen etliche Tage und Monate ins Land und Faust erhielt den Namen »Doktor Faust«. Einmal streifte Faust wie üblich durch einen Wald und überlegte, was er an diesem Tag tun solle.

»Herr, oh Herr! Ich werde dich bald von hier fortführen. Denn die Zeit, die dir von Gott gegeben wurde, neigt sich dem Ende.« Die plötzlichen Worte des Teufels überraschten Doktor Faust.

»Was sagst du da? Ich bin noch nicht zufrieden. Es gibt noch so vieles, das ich tun möchte.«

»Nein, nein. Wir haben eine Abmachung, Faust, bis zu deinem Lebensende, hieß es. Jetzt ist es an dir, mein Diener zu werden!«, brüllte der Teufel mit einer Stimme dröhnender als Donner.

Er stürzte sich auf Doktor Faust und brach ihm mit einem Knack das Genick.

»Törichter, armer Faust. All das nur, weil du einen Pakt mit dem Teufel geschlossen hast. Hättest du redlich gearbeitet und ein aufrichtiges Leben geführt, hättest du immer genug zu essen und zu trinken gehabt, inzwischen eine liebe Frau gefunden und könntest in einem warmen, weichen Bett aus Stroh sterben.«

Der Teufel nahm sich Doktor Fausts Seele und kehrte mit dieser in das dunkle, feuchte Nest in seiner Hölle zurück.

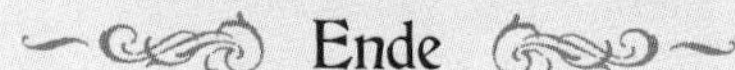
Ende